Histoires de fées et de princesses

 Textes de :

Marie-Lise Bastiani, Calouan, Françoise le Gloahec,
Madeleine Mansiet, Mireille Saver, Nicole Snitseklaar,
Jeanne Taboni Misérazzi, Valérie Videau.

 Illustrations de :

Delphine Bodet, Cathy Delanssay, Évelyne Duverne,
Dorothée Jost, Virginie Martins , Céline Riffard,
Jessica Secheret.

Éditions Hemma

F3705/2
Collection : Les princesses et les fées
©Hemma 2009
rue de Chevron, 106 - 4987 Chevron - Belgique.
hemma@hemma.be
www.hemma.be
Livre imprimé en Chine et importé par Hemma.
Dépôt légal : 0409/0058/060
Édition 09/2009

La colline aux fées

Marie-Lise Bastiani – Dorothée Jost

Loin de nos maisons, par-delà les villes et les forêts, se situe une jolie colline. C'est une merveilleuse colline recouverte de nombreux arbres de toutes les formes et de toutes les couleurs : des petits à grands troncs, des gros à gros troncs, des hauts, des touffus et de petits buissons, si petits qu'on ne les remarque pas parmi ces arbres splendides.

Et pourtant, ces petits buissons discrets abritent les maisons des fées. Quatre familles de fées habitent ces lieux : les fées vertes protégeant la nature, les fées bleues protectrices des animaux, les fées rouges aidant les adultes, et les fées jaunes amies des enfants.

Quand le soleil se couche et que nos paupières se ferment, toutes ces petites fées s'éveillent afin de commencer une longue nuit de travail.

Les petites fées vertes ont pour mission de s'occuper de toute la nature vivante : les arbres et les buissons, les fleurs et les fruits...
Suivant la saison de l'année, chaque soir, chacune doit surveiller la pousse des bourgeons au printemps, la chute des feuilles en automne... ou bien encore vérifier qu'aucune maladie ne vient déranger la vie paisible des plantes.
Si tel est le cas, un simple coup de baguette magique permet de lutter efficacement contre l'intrus !

Les petites fées bleues s'occupent des animaux,
qu'ils soient petits ou gros, sauvages ou
domestiques. Et elles s'activent, car il y en a
du monde parmi toutes ces petites bêtes ! Un
soir, par exemple, l'une d'elles rencontra un
faon blessé. Elle s'en approcha doucement et lui
demanda la cause de sa blessure. « Je me suis pris
la patte dans un piège, ce matin. » D'un premier
coup de baguette magique, la fée fit disparaître la
douleur ressentie par le faon.
Au deuxième coup de baguette, elle soigna la
plaie. « Merci beaucoup », dit le faon avant d'aller
se lover contre sa maman pour dormir...

Les petites fées rouges et jaunes
se rendent chaque soir dans
nos maisons. Les fées rouges
s'occupent des adultes tandis
que les jaunes aident des enfants.
Les premières ont un travail plus
délicat car elles n'apparaissent
jamais aux adultes ailleurs que
dans leurs rêves.
Grâce à elles, les grandes
personnes reçoivent souvent une
dose d'énergie et de bonne humeur.
Et, le lendemain matin au réveil,
tout va beaucoup mieux !

Les petites fées jaunes sont très souvent débordées. En effet, beaucoup d'enfants ont besoin d'elles le soir : elles parlent avec les bavards, réconfortent ceux qui pleurent et câlinent ceux qui en ont besoin. Un énorme travail, mais tellement gratifiant !

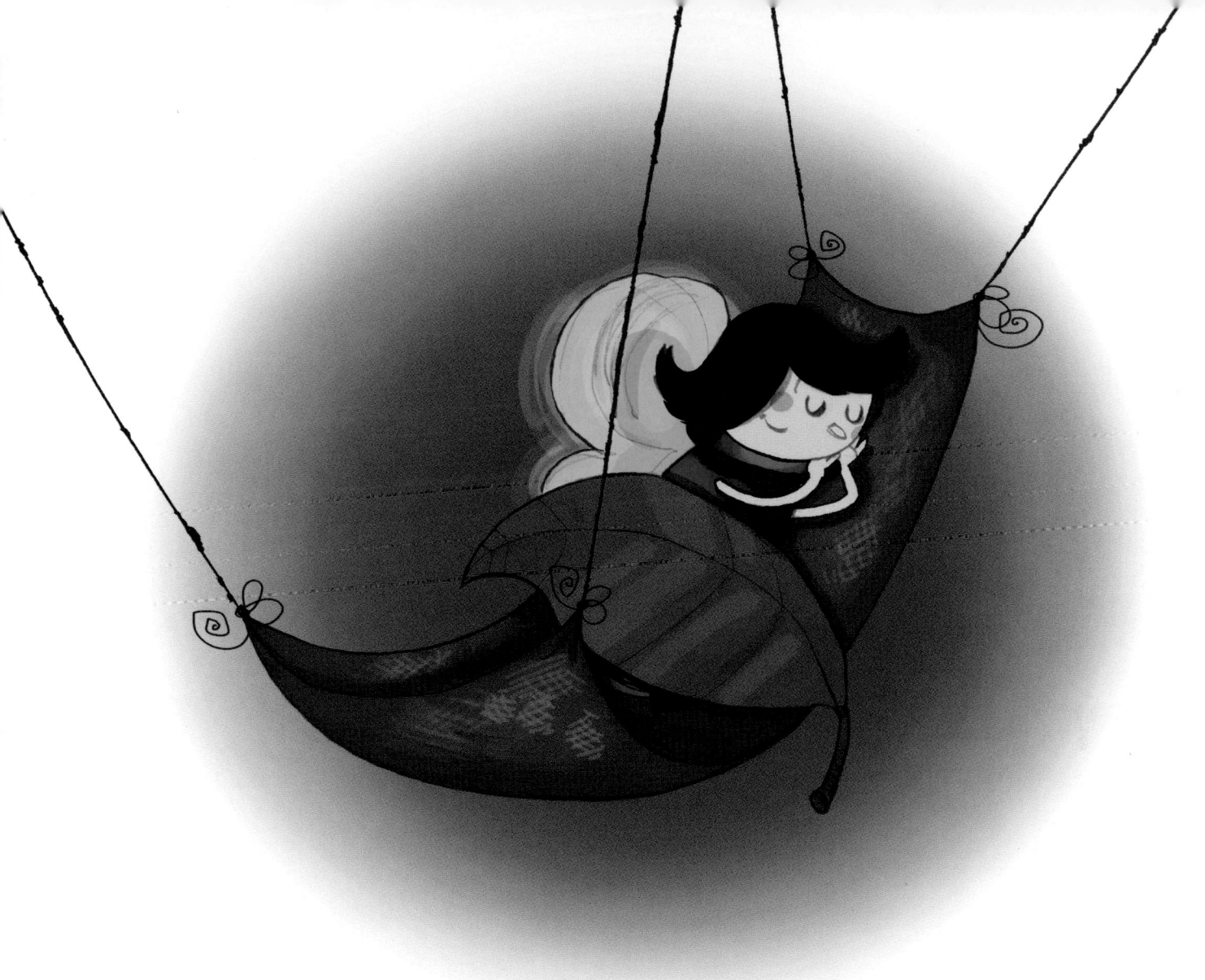

Ainsi, les petites fées travaillent beaucoup et, quand le jour se lève enfin, elles regagnent leurs lits cachés dans les buissons afin d'y dormir toute la journée.

À ton avis, pourquoi dorment-elles le jour ? Parce que la nuit est le moment le plus propice pour rencontrer tous leurs protégés qui ont regagné leur lit afin d'y dormir jusqu'au petit matin...

Alors, bonne nuit... et, si tu es attentif, tu entendras le bruit léger que font leurs ailes...

La nymphe de la forêt

Mireille Saver – Évelyne Duverne

Parmi toutes les nymphes de la forêt, nulle n'est plus charmante que Violette.
Elle n'a qu'un défaut : elle parle trop. Toute la journée, elle parle :
– Et blablabla et blablabla…

Habituellement, le roi de la forêt s'amuse de ses babillages. Un matin, Violette est encore plus bavarde que d'habitude. Le roi, qui a passé une très mauvaise nuit, lui ordonne :

– Tais-toi un peu, Violette, tu me casses les oreilles. Tes discours me fatiguent et je te demande le silence.

Mais Violette continue :

– Et blablabla et blablabla.

– Rien ne peut faire taire cette pipelette ! soupire le roi.

« Pour la tranquillité de mon royaume, je dois faire cesser ce moulin à paroles ! » pense-t-il.
Levant les bras au ciel, le roi prononce un sortilège qui, aussitôt, prive Violette de sa voix. Plus aucun son ne sort de sa bouche et elle doit s'exprimer par gestes, ce qui amuse beaucoup les autres nymphes. Le roi, lui, savoure ces instants de silence.

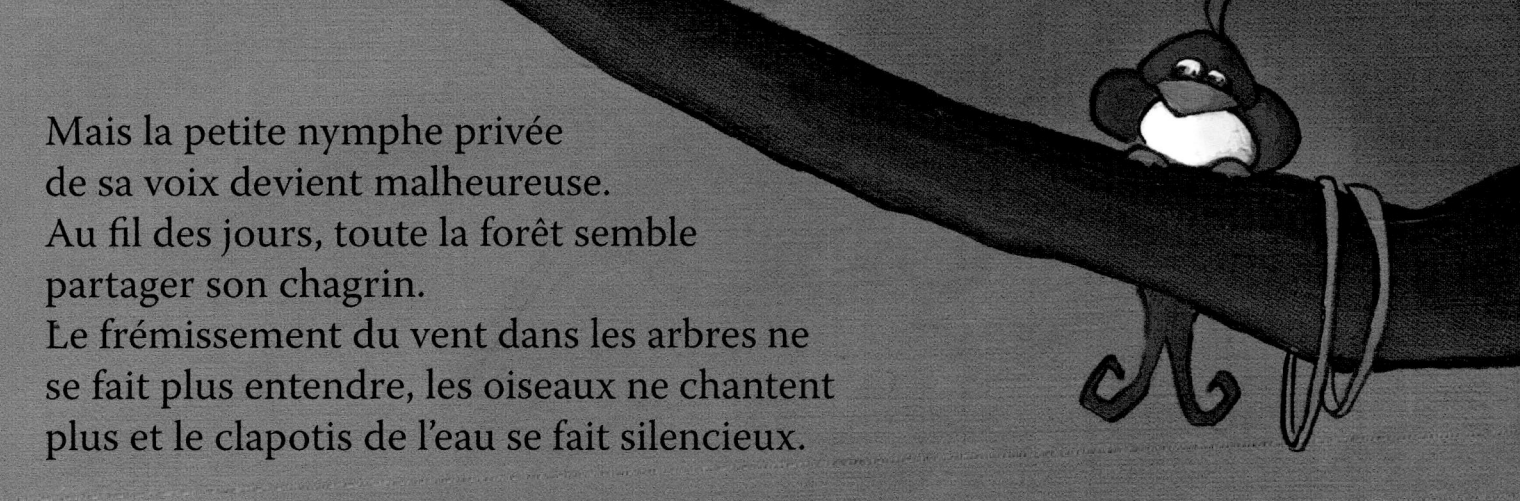

Mais la petite nymphe privée
de sa voix devient malheureuse.
Au fil des jours, toute la forêt semble
partager son chagrin.
Le frémissement du vent dans les arbres ne
se fait plus entendre, les oiseaux ne chantent
plus et le clapotis de l'eau se fait silencieux.

Le silence devient pesant. Même le roi s'ennuie.
C'est décidé, il faut agir au plus vite. Sa Majesté
lève les bras au ciel et prononce la formule
magique qui efface le mauvais sort. Une seconde
plus tard, le roi se retrouve entouré des nymphes
dans une forêt joyeusement animée. Violette
reprend son bavardage :
– Et blablabla et blablabla.

Le roi poussant un soupir, pose ses mains sur ses oreilles en suppliant :
– Je t'en prie, Violette, tais-toi !
Cependant, il rit, heureux de la retrouver aussi joyeuse.

Un jour, alors qu'elle se promène, Violette, toujours aussi bavarde, voit approcher un beau cavalier qui lui demande :
– Belle demoiselle, pouvez-vous me renseigner sur le chemin à suivre car je suis perdu !

18

Les yeux sombres, la voix profonde et douce du cavalier
font chavirer le cœur de la jeune nymphe. Alors, pour
la première fois, tellement émue et amoureuse, Violette
reste… sans voix.

Le jouet préféré

Calouan – Dorothée Jost

Chaque matin, la princesse Sacha choisit parmi ses jouets celui qui aura sa préférence pour la journée.

Installés en rang sur le lit de Sacha, les petits chéris attendent sagement de savoir lequel d'entre eux sera l'heureux élu.

Il y a Adam le poupon qui parle, Bilbo l'ours en peluche, Eloi le pantin de bois, Sophie la poupée en tissu, Jack le chien qui aboie quand on appuie sur son ventre, Flop le cochon rose…

Am… stram… gram… La petite princesse compte du bout de son doigt potelé. Pic et pic et colégram… Puis, soudain : Bilbo !
Voilà, le choix est fait. Cette fois-ci c'est l'ours son jouet préféré.
Pour Bilbo, c'est le bonheur : il a le droit de rester avec Sacha tout le temps, de manger à ses côtés, de l'accompagner dans sa promenade, confortablement installé dans son petit panier d'osier. Youpi !!

Ensemble, ils courent dans le jardin, Bilbo
juché sur les épaules de la petite princesse.
Hop là ! Ils font de gros bouquets de fleurs.
Hum ! Ils ramassent de belles fraises, qui
laissent les lèvres rouges. Miam !
Et le soir, fatigués, ils s'endorment côte à
côte dans le lit douillet aux draps satinés de
la princesse comblée.

Mais, aujourd'hui, alors que le doigt de Sacha s'apprête à désigner l'heureux élu de la journée, on entend une petite voix s'élever :

– C'est assez ! Chaque jour, tu choisis l'un de nous, en laissant les autres déçus, tristes, abandonnés…

Sacha, surprise, cherche du regard celui qui a prononcé ces mots. Qui a osé ?

Elle recommence : Am… stram… gram… Quand, soudain, une autre voix gémit :

– Je suis d'accord ! J'en ai assez d'avoir le cœur qui bat chaque matin, inquiet à l'idée de ne pas être ton préféré…

– C'est vrai, ça ! C'est un supplice chaque fois !

23

Et, avant que la petite princesse ne fasse taire les insolents,
tous les jouets se mettent à parler en même temps :
– Si tu nous aimes, c'est pour tous les jours !
– On ne veut plus de classement !
– Plus de chouchou d'une journée ! Plus de préféré !
– Pitié ! Pitié !
Sacha est toute rouge. Elle est fâchée ! Foi de princesse,
cela ne se passera pas comme ça dans son château !
Elle attrape chaque jouet, un par un, et les enferme
dans son coffre. Elle claque le couvercle, décidée
à ne pas en entendre plus !

Elle va courir dans le jardin. Elle se promene à vélo, cueille
de belles fleurs aux couleurs d'été, goûte les nouvelles
framboises bien mûres… Elle mange son repas en silence.
D'ailleurs, elle n'a pas très faim. Elle se sent seule. Ce n'est
pas amusant de n'avoir personne avec qui partager sa
journée. Personne avec qui parler, chanter, rigoler, chahuter.
Dans le château, tout le monde est occupé, affairé, pressé et
personne n'a de temps à accorder à la princesse désolée.

Quand elle revient dans sa chambre, à la tombée du jour,
elle est décidée : elle sort ses petits chéris, dans le coffre
tout blottis, et doucement leur dit :
– Désormais, vous serez tous mes préférés ! On restera
tout le temps tous réunis !
Et, pour montrer qu'elle tiendra sa parole, la princesse
Sacha les glisse, l'un après l'autre, sous sa couette pour
une première nuit, entre amis.
– Bonne nuit, mes chéris !

La princesse gourmande

Mireille Saver – Céline Riffard

Il était une fois, au pays de Bonnepitance, une princesse qui aimait tout particulièrement les gâteaux. Elle en mangeait à toutes les heures de la journée. Le pâtissier du château lui confectionnait de gigantesques gâteaux en toute occasion. En un mot, la princesse était gourmande. Très gourmande.

La princesse croqua, avala une bouchée et s'écria :
– Pâtissier, ton croissant n'a aucun goût !
Pourtant, les gâteaux étaient tous très bons. Que se passait-il
donc dans la gorge de la princesse ?
À l'évidence, la princesse avait perdu le goût du goût.
La nouvelle se répandit dans tout le château, des greniers
jusqu'aux caves les plus profondes. La princesse avait perdu
le goût du goût !
C'était terrible !

On fit venir tous les médecins du royaume avec leurs remèdes miracles. Mais la princesse ne retrouvait pas le goût du goût et elle devenait triste.

Les fées du goût furent appelées.

La première à se présenter devant la princesse fut la fée Chocolette.
– Que la princesse retrouve instantanément la saveur du chocolat ! ordonna la fée Chocolette en brandissant sa baguette magique.

Puis, ce fut le tour de la fée Meringue.
– Que la princesse retrouve immédiatement la saveur du sucre ! intima la fée Meringue en tournant dix fois sur elle-même.

La fée Chantilly arriva précipitamment.
– Que la princesse retrouve promptement la saveur de la vanille ! commanda la fée Chantilly en tapant du pied.

Rien n'y fit. La princesse ne reconnaissait plus le goût du caramel, de la pistache, ni de la noisette. Elle avait vraiment perdu le goût du goût et devenait de plus en plus triste.

C'est alors que le petit apprenti pâtissier, Tom, demanda audience. La princesse ne le connaissait pas mais accepta de recevoir le jeune garçon.
– Que veux-tu ? lui demanda-t-elle.
– Princesse, je vous apporte cette petite chose qui va guérir votre gorge, dit timidement Tom en déposant une petite boule dorée dans la main de la princesse.

Surprise, la princesse mit la petite boule dorée sur sa langue et la dégusta doucement.

– Hum ! C'est bon ! Et cela fait beaucoup de bien à ma gorge ! s'exclama la princesse qui venait de retrouver le goût du goût. Qu'est-ce que c'est ?

– Cela s'appelle un bonbon, répondit Tom. Celui-ci est au miel.

Quelques minutes plus tard, la princesse dévorait une énorme galette au sirop d'orgeat. Elle avait retrouvé le goût du goût et tout le royaume de Bonnepitance était heureux.

Pour remercier Tom, la princesse le nomma premier maître en bonbons du palais. Depuis, filles et garçons mangent des bonbons. Même lorsqu'ils n'ont pas mal à la gorge... Mais que c'est bon !

Les blagues de Léa

Mireille Saver – Virginie Martins

Pendant des années, dans le château du roi Sansourire, la vie s'est déroulée tranquillement et très calmement. Mais depuis que la princesse Léa est en âge de courir dans les immenses couloirs du palais, la vie des sujets de sa Majesté a changé du tout au tout.

En effet, Léa adore faire des blagues. Elle en invente des dizaines chaque jour. Et chaque blague la fait rire aux larmes.

Si ses pas la conduisent vers les cuisines, c'est pour remplacer le sucre par du sel et rendre immangeable les bons petits plats du cuisinier.
Elle se cache dans de vieilles malles, laissant sa pauvre nounou la chercher pendant des heures.

37

Dans les écuries, sa principale occupation est de détacher les selles des chevaux : c'est ainsi que la garde royale se retrouve régulièrement le nez dans la poussière.
Elle ne respecte même pas les séances du Conseil, guettant le moment où un ministre posera ses fesses sur un coussin péteur.

Le roi Sansourire pardonne toujours à sa fille mais, ce matin, il est en colère. Il a trouvé tellement de poil à gratter dans son lit qu'il a dû dormir par terre.
– Léa grandit, confie-t-il à sa femme, et il faut qu'elle cesse ses bêtises. Mais comment l'en dissuader ?

La reine, très intelligente, lui suggère :
– Faisons, à notre tour, une blague à Léa.

Le roi Sansourire trouve l'idée excellente et commence à réfléchir. Que faire pour faire comprendre à Léa que ses blagues sont ennuyeuses ? Enfin, il trouve une solution et, dans le plus grand secret, met son plan à exécution.

Un matin, en revenant d'une promenade en calèche, la princesse Léa trouve le château complètement vide. Il n'y a plus de gardes, plus de ministres, plus de serviteurs, plus de cuisinier, plus de nounou. Même ses parents ont disparu. Il n'y a plus personne…

Alors elle court dans les couloirs, ouvre toutes les portes, appelle si fort ses parents qu'elle en a mal à la gorge.
– Où êtes-vous ? Sortez de votre cachette ! Ce n'est pas drôle du tout ! Où êtes-vous ?

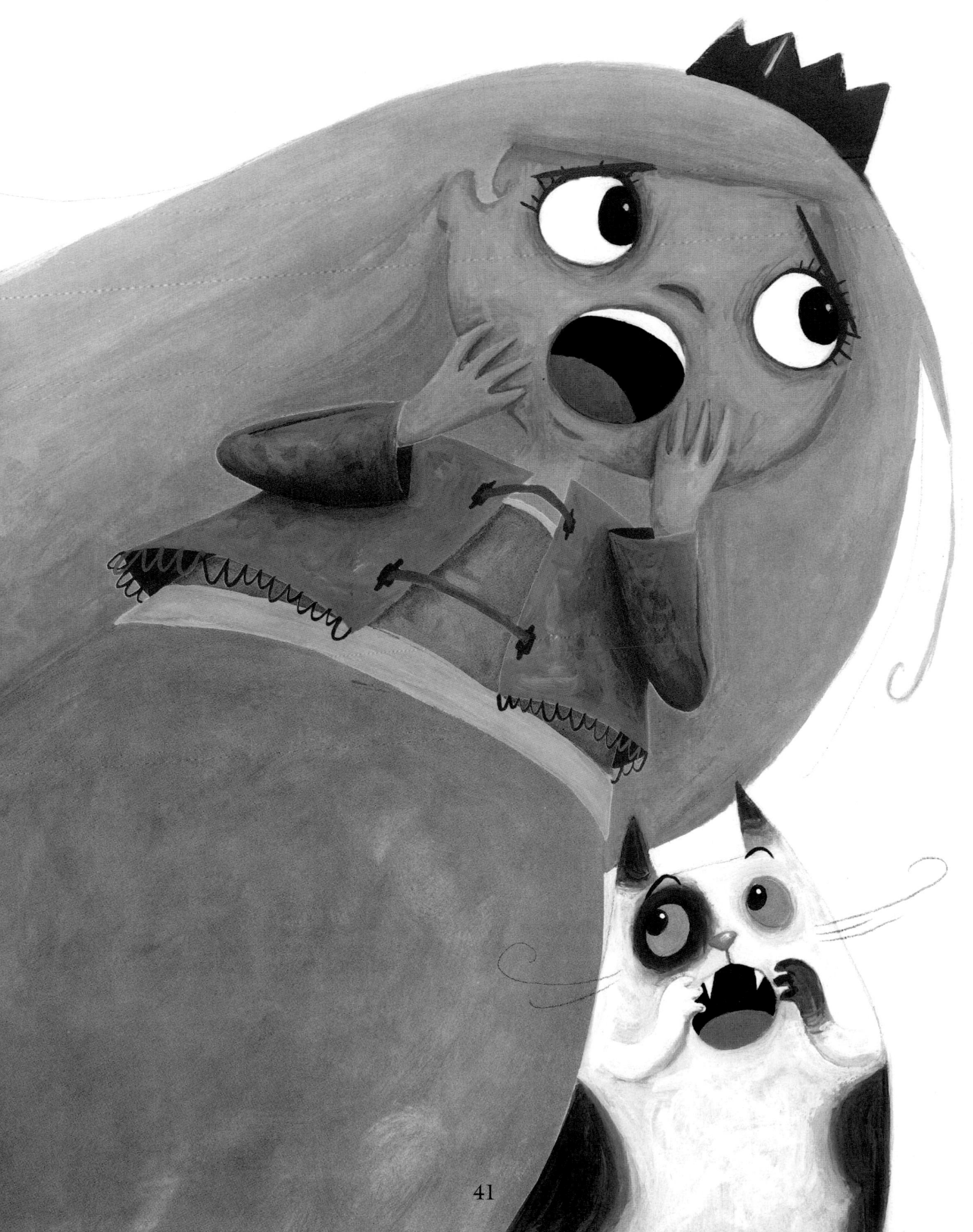

Personne ne répond à ses appels. Léa est si malheureuse qu'elle se met à pleurer. Tristement, elle regagne sa chambre. Dès qu'elle ouvre la porte…
Surprise ! Le roi est là et il crie bien fort :
– Coucou ! On est là !

De derrière la porte, de l'intérieur des armoires, de sous le lit, de derrière les tentures… surgissent les gardes, les ministres, les serviteurs, le cuisinier, la nounou et la reine.

Ce jour-là, le roi Sansourire rit si fort et pendant si longtemps que cette journée fut la plus joyeuse de sa vie. Il en rit encore chaque fois qu'il y repense.

Léa a compris la leçon. Elle a cessé de faire des blagues. Mais le roi, lui, y a pris goût !

Une fois par an, le roi organise un grand concours. Tout le monde est autorisé à faire des blagues. C'est amusant ! L'auteur de la meilleure blague est récompensé. Qui va donc gagner le prochain concours : la princesse Léa ou le roi ?

Et savez-vous quel jour le roi a choisi pour sa manifestation ?
Le 1ᵉʳ avril, bien sûr !

La fée Dufil

Jeanne Taboni Misérazzi – Jessica Secheret

Un matin, le doudou Nouka de Célia se réveilla en criant :
– J'ai fait un bobo dans le dos !
Aussitôt, Célia l'examina et découvrit un petit trou, juste au milieu du dos.
Heureusement Nouki ne saignait pas, mais il fallait le soigner !
En attendant, Célia lui fit un gros câlin :
– Ce n'est rien ! Tu as juste un petit trou !
Allons voir maman !

Nouki la regarda et se calma. Déjà, il avait moins mal.
Célia appela maman et lui expliqua ce qui s'était passé. Elle lui dit même que Nouki avait crié. Maman comprit très bien :
– Ne t'inquiète pas, la fée Dufil qui s'occupe des bobos des doudous a forcément entendu les cris de Nouki. Cette nuit, certainement, elle viendra !
– Est-ce que je pourrai la voir ?
– Je ne sais vraiment pas ! Certains disent que c'est possible et qu'elle est fine comme un fil !

Toute la journée, Célia pensa à la fée Dufil et, le soir, quand
elle s'endormit avec son Nouki, elle l'aperçut : d'abord à
l'extérieur de la maison puis qui s'approchait de la fenêtre et
passait à travers les volets et les vitres de sa chambre.
La fée se déplaçait sur des fils dorés et argentés.
Tout son corps était entortillé par de longs fils et elle était coiffée
d'un chapeau en forme de dé à coudre.
Très vite, elle se retrouva près du lit de Célia.

Elle prit Nouki dans ses bras, le tourna délicatement et constata :
« Oh ! Ce n'est rien ! Je vais refermer ce petit trou avec une aiguille qui ne fait pas mal du tout ! »
La fée Dufil sortit une bobine de son panier et murmura à l'oreille de Nouki :
« C'est mon amie l'araignée Marie-Renée qui m'a tissé ce fil exprès pour réparer les bobos des doudous ! »
Nouki se laissa faire. Il regardait la fée Dufil et il savait que jamais plus il ne l'oublierait !

Elle referma le trou avec le fil de son amie l'araignée. Elle l'avait enfilé sur une aiguille qui ne piquait pas du tout.
Le fil n'était vraiment pas ordinaire. Quand la fée eut terminé de coudre, il n'y avait plus aucune trace sur le dos de Nouki.
Le doudou lui fit un bisou et s'endormit dans les bras de Célia.

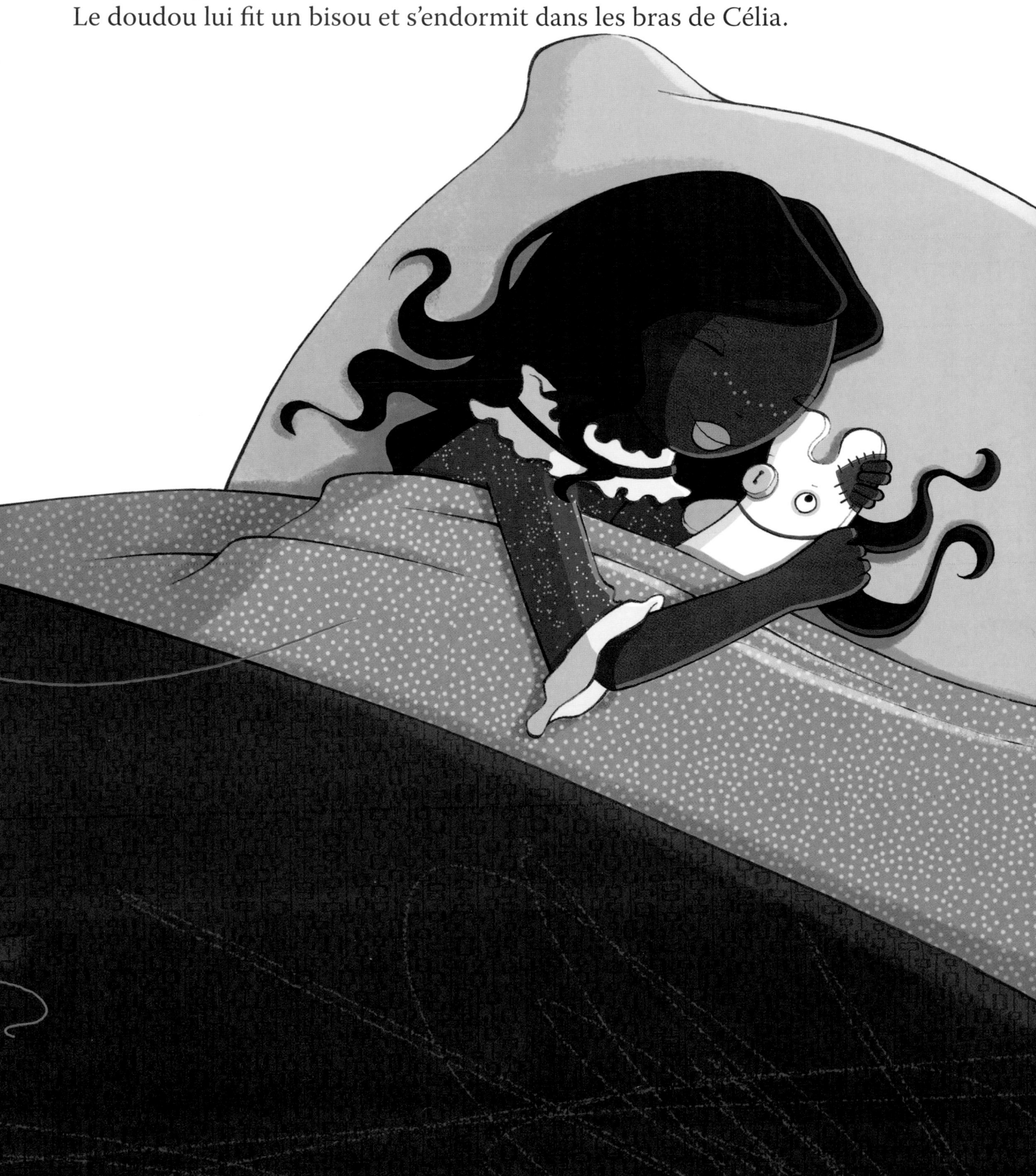

Le lendemain, quand celle-ci se réveilla, elle se rappela tout ce qui s'était passé pendant la nuit. Elle alluma sa petite lampe de chevet et examina le dos de son doudou.
Le petit trou avait complètement disparu.
Alors Célia comprit que la fée Dufil était réellement venue et qu'elle n'avait pas rêvé !
Pour la première fois, elle eut envie de monter au grenier voir les petites araignées.

Elle espérait reconnaître Marie-Renée qui fournissait du fil à la fée pour
réparer les doudous !
Dans la maison encore endormie, avec son Nouki dans les bras, la petite
Célia monta tout là-haut sous le toit.
Elle trouva plusieurs araignées bien installées dans leur toile. Elle se dit
qu'elles étaient jolies mais elle ne reconnut pas Marie-Renée !

51

Elle les remercia malgré tout, comme si elles
avaient donné leur fil à la fée Dufil.
Son Nouki était guéri et Célia pensa qu'il allait durer
encore longtemps, très longtemps !
Peut-être même qu'un jour elle pourrait le donner à
ses enfants !

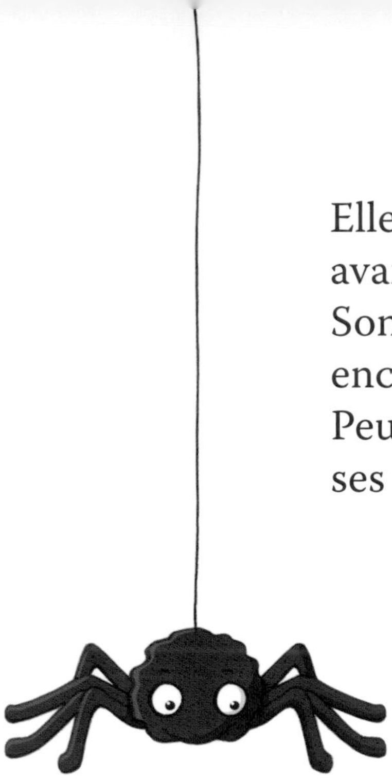

Miranda, la fée voyageuse

Valérie Videau – Virginie Martins

Miranda n'a qu'une idée en tête :
faire le tour du monde...
« C'est facile de voyager avec une baguette magique ! répète
la fée à ses amies. Il suffit de prononcer le nom du pays où
je veux aller et hop ! J'y vole !»
Brikidi, Brikada, et voici Miranda dans un pays lointain,
connu pour ses épaisses forêts...

« Hum ! Que cette fleur sent bon, se dit la jolie fée en flânant parmi les arbres. Je vais faire un beau bouquet ! »
Trop occupée, Miranda ne remarque pas l'ombre qui s'avance vers elle... quand, tout à coup, GRAOUH ! une bête énorme et toute poilue surgit !
« Au secours ! crie la jeune fée en zigzaguant entre les arbres. Un monstre ! À l'aide ! »

54

Miranda court, saute, tout agile et, enfin, réussit à semer la bête poilue... « Oh, non ! sanglote-t-elle à l'orée de la forêt. J'ai perdu ma baguette ! »

Soudain, elle se rappelle que sa maman lui a raconté qu'il y a toujours, dans chaque village, une boutique secrète pour les fées...
Miranda se rend alors au premier village et inspecte les maisons.
L'une d'elles a bien une petite baguette discrètement dessinée entre deux pierres...
Vite, elle pousse la porte et explique son malheur...

– Ma pauvre enfant, dit la vendeuse. Je n'ai plus ce modèle-là... Mais bois un peu de cette potion, elle te fera aussi revenir dans ton pays, mais attention, ne...

Trop tard ! Miranda a tout bu... et file déjà à toute allure dans le ciel... Et dépasse son village sans pouvoir s'y arrêter ! Enfin, la potion ne fait plus effet : la fée se pose, mais à plusieurs kilomètres de chez elle ! Cette fois, elle rentrera à pied, même si elle n'aime pas marcher...

Tais-toi, Sara !

Françoise Le Gloahec – Delphine Bodet

Bla-bla-Bla ! Bla ! Bla ! Bla ! dit Sara.
Sara parle le matin en se levant, le midi en mangeant, le soir en se couchant, Sara parle tout le temps, même en dormant !
– Tais-toi un peu, Sara ! lui disent souvent papa et maman.
Mais Sara ne sait comment il faut faire pour se taire.
À l'école des fées, la maîtresse se fâche, punit Sara au fond de la classe dès qu'elle jacasse.
Bouche cousue pour Sara, mais cela ne dure pas, car elle dit tout bas :
– Je suis une fée. J'ai beaucoup de choses à apprendre avant de devenir grande. Alors j'ai toujours un truc à demander pour comprendre.

Mais personne ne l'entend, parmi les enfants.
Juste une chatte aux yeux gris, sur le bord du toit, la voit.
– Coucou, Sara ! Tu t'ennuies, n'est-ce pas ?
– Je ne sais pas.
– Miaou ! Rejoins-moi en bas. Dans la cour.
– Pourquoi ? demande Sara.
– Pour papoter. Et faire un petit tour.
Parler ? Super ! C'est ce qu'elle préfère ! Surtout aux animaux.
C'est plus rigolo.

Vite ! Où est sa baguette magique ? Ah oui ! Dans son
cartable, là, sous la table.
Hop ! Un petit coup sur le genou.
– Je veux sortir d'ici ! murmure Sara, sans faire de bruit.
Et Sara, la petite fée, s'est retrouvée, par magie, dans la
cour sans descendre l'escalier.

– Bravo ! dit la minette.

Sara hausse les épaules :

– Trop facile ! Je suis une fée. Et toi, qui tu es ?

– Disons… une amie. Qui t'aime aussi.

– Ah bon ? Mais qui ?

– Miaou ! Regarde-moi bien.

Sara ne voit rien. Oh si !

Soudain elle crie :

– J'ai reconnu tes yeux gris, mamie! Tu t'es transformée en chatte pour venir me chercher. On va se promener entre fées ?

– Oui et parler longtemps, sans s'arrêter, dit Mamie la fée.

Fleurette et Benjamin

Madeleine Mansiet – Dorothée Jost

Les princesses ne sont pas toutes de jolies personnes.
Fleurette se savait laide, très laide. Les miroirs qui lui renvoyaient son image la faisaient pleurer de désespoir.

Lorsque le roi recevait des visiteurs dans son château, il enfermait Fleurette dans la tour. Il avait tellement honte, tellement peur qu'on se moque !

— Son père a tellement peur qu'un beau chevalier ne lui prenne sa fille qu'il nous la cache, disait-on volontiers.

Et comme nul n'avait jamais vu le visage de la princesse, hormis les serviteurs, on l'imaginait belle comme le jour. Seuls ses cheveux étaient superbes. Parfois, elle penchait la tête à la fenêtre et laissait sa chevelure dénouée respirer l'air du dehors.

« Il se trouvera bien un prince pour la remarquer et en tomber amoureux », pensait-elle.

Même sa mère ne savait comment la consoler de son affligeante disgrâce ; elle ne trouvait pas les mots réconfortants. Aussi souffrait-elle en silence.
Le roi aurait pu marier sa fille à quelque vieux baron doté d'une mauvaise vue. Mais son orgueil était le plus fort. Personne ne devait savoir qu'il était le père d'un laideron.

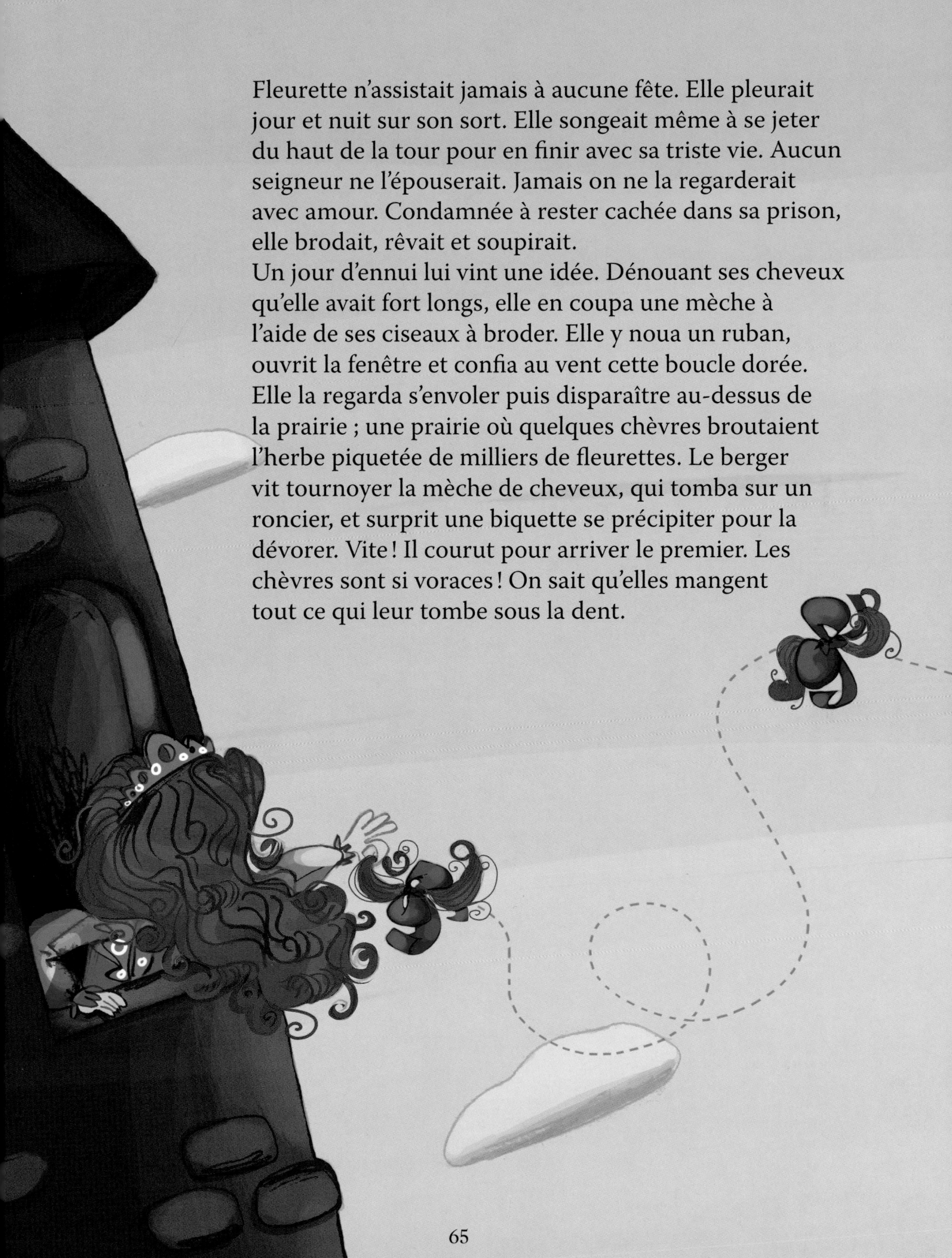

Fleurette n'assistait jamais à aucune fête. Elle pleurait jour et nuit sur son sort. Elle songeait même à se jeter du haut de la tour pour en finir avec sa triste vie. Aucun seigneur ne l'épouserait. Jamais on ne la regarderait avec amour. Condamnée à rester cachée dans sa prison, elle brodait, rêvait et soupirait.

Un jour d'ennui lui vint une idée. Dénouant ses cheveux qu'elle avait fort longs, elle en coupa une mèche à l'aide de ses ciseaux à broder. Elle y noua un ruban, ouvrit la fenêtre et confia au vent cette boucle dorée. Elle la regarda s'envoler puis disparaître au-dessus de la prairie ; une prairie où quelques chèvres broutaient l'herbe piquetée de milliers de fleurettes. Le berger vit tournoyer la mèche de cheveux, qui tomba sur un roncier, et surprit une biquette se précipiter pour la dévorer. Vite ! Il courut pour arriver le premier. Les chèvres sont si voraces ! On sait qu'elles mangent tout ce qui leur tombe sous la dent.

Le soleil dorait la boucle blonde.
«Quelle merveille ! s'exclama tout haut le berger.
Mais, je reconnais ces cheveux ! Ce sont ceux
de la princesse Fleurette, que j'entends pleurer
quelquefois. Elle m'envoie ce message pour que
je l'aide à quitter le château où elle demeure
prisonnière. Pourtant, jamais une princesse
n'acceptera d'être délivrée par un berger...
Mais si j'essayais malgré tout... »

C'est ainsi que Benjamin se présenta au château avec, en cadeau, un énorme bouquet de ces fleurettes qui faisaient les délices de son troupeau. Il était tellemnt touchant de gentillesse que le roi consentit à lui présenter sa fille. La laideur de la princesse n'impressionna pas le jeune garçon. Il s'avança et lui offrit le bouquet parfumé, tout humide de la rosée de la nuit.

On vit la jeune fille enfouir son visage dans les fleurs. Comprenant qu'elle voulait se cacher, chacun se taisait. Le roi était gêné. « J'aurais mieux fait de la laisser enfermée », se reprochait-il.

Fleurette demeura longtemps ainsi, à respirer les parfums de la prairie. Sa peau s'en imprégnait. La rosée pénétrait ses pores. De ce contact avec la nature, elle se sentait renaître. La joie inondait son cœur d'un sentiment nouveau. C'est alors qu'elle releva la tête. Ses parents et les serviteurs présents ne purent retenir un cri de surprise !

Un miracle venait de s'accomplir. Les fleurs des champs, naïves et sauvages, avaient eu pitié de la pauvre jeune fille.

— Père, si je dois me marier, que ce soit avec Benjamin, qui vient de m'offrir ce merveilleux bouquet.

— Qu'on apporte un miroir à ma fille ! ordonna le roi.
Et, se tournant vers Fleurette :
— Vois comme tu es belle, maintenant ! Tous les princes vont me
demander ta main.
— Si vous le voulez bien, mon père, j'épouserai ce berger, car je lui
dois cette métamorphose. Je mérite enfin le prénom que je porte.
Je suis si heureuse !

C'est ainsi que la princesse épousa son berger.
Avec les années, la beauté de Fleurette se fana, comme se fanent les plus belles fleurs de nos jardins.
Mais l'amour de Benjamin demeura le même, fort et grand. Et dans les yeux de sa princesse brille maintenant la flamme de la jeunesse éternelle.

Les souliers d'Aline

Calouan – Cathy Delanssay

La princesse Aline n'aime pas sentir ses pieds coincés dans des souliers. Toute la journée, elle se balade nu-pieds. Son conseiller ne cesse d'implorer :

– Majesté, il faut chausser vos jolis pieds, vous pourriez les blesser !

Mais Aline n'a que faire de ce vieux conseiller. Personne, c'est décidé, ne pourra l'empêcher de faire ce qu'il lui plaît.

– Laissez-moi en paix ! Je n'ai rien demandé !

Le roi, son père, est désolé. Car lui aussi craint une vilaine plaie aux pieds de sa fille aimée. Il charge son fidèle conseiller de trouver les meilleurs souliers, ceux dans lesquels Aline pourrait marcher, aussi élancée qu'une fée.
– Conseiller, s'il vous plaît, je compte sur votre efficacité !
Toute la journée, le conseiller cherche une idée. Des chaussons vraiment légers, ça doit se trouver. Il gratte le bout de son nez, remue sa tête de tous côtés. Rien n'y fait.
Il lit des livres réputés, va sur les marchés puis convoque des cordonniers.

Des centaines, des milliers de cordonniers, des quatre coins du pays, arrivés, proposent toutes sortes de souliers. Mais la princesse ne semble pas intéressée : trop petits, tout serrés, pas jolis, trop dorés, trop chauds, pas assez élancés…
La princesse refuse les souliers, sans aucun respect pour le travail des cordonniers.

Le conseiller fait venir de Chine les plus douces ballerines. Toutes brodées de perles fines. Mais dès que la princesse pose un pied, les ballerines se mettent à tinter. Gling, gling, gling !
– Foi d'Aline, je ne mettrai pas ces ballerines ! Je sonne comme si j'avais au cou une cloche qu'on m'attache ! Je ne suis pas une vache, que je sache !!
Et Aline arrache les perles fines et jette, aussi loin qu'elle peut, par la fenêtre, les ballerines.

Le conseiller fait venir d'Orient des babouches en plumes de paon. Aline les observe un instant puis les refuse tout autant.
— Ces plumes ne cessent de me chatouiller. Et mes orteils n'en finissent pas de se tortiller. Je ne pourrai jamais marcher avec de tels souliers.
En deux temps trois mouvements, elle piétine les plumes de paon. Nan !

Le conseiller fait venir d'Afrique des sandales bien pratiques. Faites de lianes tressées qui peuvent s'enrouler jusqu'aux mollets.
— Mes pieds ne peuvent plus respirer dans vos sandales tressées. Ils sont bien prisonniers et ne peuvent plus avancer. Je refuse de les porter.
La princesse est excédée. Les sandales sont saccagées et, dans la poubelle, sont jetées.

Le conseiller fait venir de Russie des bottes en peau d'ours gris. Ces bottes bien fourrées devraient contenter la princesse aux nus pieds.

– Qu'est-ce qui m'arrive ? Je me mets à transpirer. Bientôt mes pieds auront fondu, on ne les verra plus ! Je les préfère encore nus !

Avec des ciseaux affûtés, elle découpe sans manière les bottes fourrées.

– Je n'ai rien demandé. Maintenant, c'est assez ! Laissez-moi en paix !

Soudain, à l'autre bout du palais, on entend Aline crier. Une porte s'est refermée sur ses si jolis pieds. Un de ses ongles est arraché.

Aïe, aïe, aïe ! Ouille, ouille ouille ! La princesse a le pied tout ensanglanté. Il faut vite le panser !

Le roi, son père, est affolé. Il fait venir son conseiller.

— Conseiller, s'il vous plaît, il faut aider ma fille bien-aimée.

Le conseiller a bien d'autres affaires à régler. Il abandonne Aline tentetée.

— Je suis désolé, Majesté, je vous laisse en paix. Vous ne m'avez rien demandé !

Aline éplorée supplie son conseiller :
– Veuillez me pardonner, je vous demande de vous en occuper ! Soignez
mes jolis pieds et chaussez-les de bons souliers.
L'ongle d'Aline a repoussé. Mais, désormais, on ne voit plus la princesse
entêtée se promener nu-pieds. Ballerines, sandales ou chaussons dorés,
ses jolis pieds sont toujours chaussés.

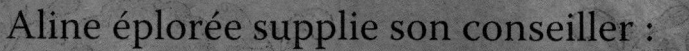

Erelle veut être une fée

Nicole Snitseklaar – Évelyne Duverne

Erelle, il est l'heure d'aller à l'école !
Comme chaque matin, maman doit pousser sa fille à
se lever pour aller en classe.
— Je veux pas y aller, répond Erelle en boudant.
— Erelle, tu as plein de choses à apprendre pour grandir !
l'encourage maman.
Mais Erelle ne veut rien entendre, l'école ce n'est pas pour elle.

— Je veux être une fée ! Je veux pouvoir voler ! ressasse
Erelle à longueur de journée.
Rien ne l'intéresse, rien ne la passionne, tout lui semble
morne et ennuyeux.

Maman finit par lui confectionner une robe avec deux
jolies petites ailes brodées dans le dos.
Erelle est folle de joie. Ça y est ! Elle va pouvoir s'envoler !

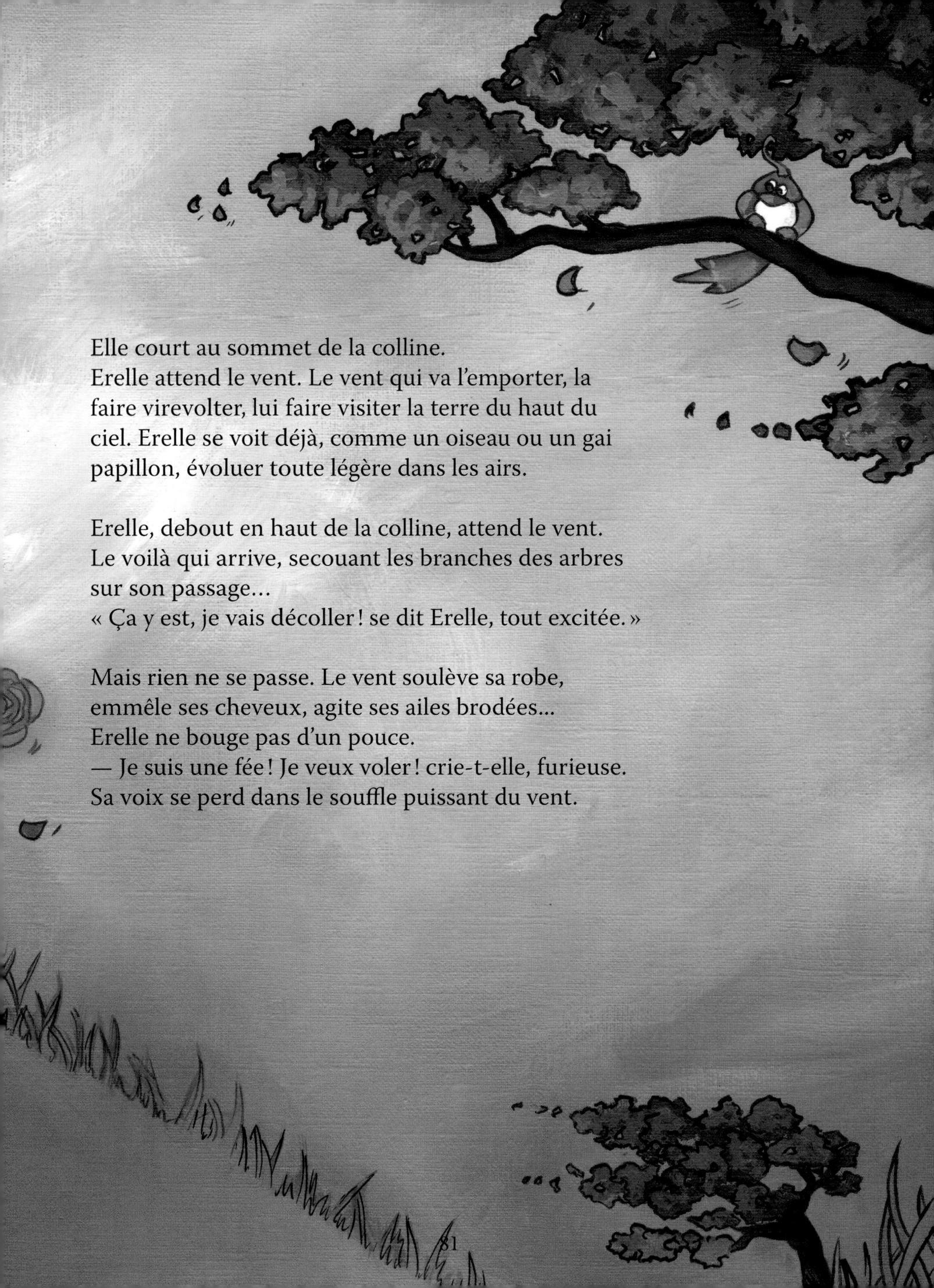

Elle court au sommet de la colline.
Erelle attend le vent. Le vent qui va l'emporter, la
faire virevolter, lui faire visiter la terre du haut du
ciel. Erelle se voit déjà, comme un oiseau ou un gai
papillon, évoluer toute légère dans les airs.

Erelle, debout en haut de la colline, attend le vent.
Le voilà qui arrive, secouant les branches des arbres
sur son passage…
« Ça y est, je vais décoller ! se dit Erelle, tout excitée. »

Mais rien ne se passe. Le vent soulève sa robe,
emmêle ses cheveux, agite ses ailes brodées…
Erelle ne bouge pas d'un pouce.
— Je suis une fée ! Je veux voler ! crie-t-elle, furieuse.
Sa voix se perd dans le souffle puissant du vent.

« Vlan ! » Quelque chose vient frapper Erelle en plein visage.
Elle chancelle et tombe. Une grosse fleur jaune atterrit sur ses
genoux.
— Cela t'apprendra à vouloir prendre ma place ! s'écrie une petite
voix sortie de nulle part…
De nulle part ? Ce n'est autre que la fleur qui parle ….
— Mais ça va pas ! Je ne t'ai rien fait ! rouspète Erelle, outrée.
— Que fais-tu alors au sommet de la colline ?
— J'attends le vent, je veux voler comme une fée !

— Pfffff ! C'est totalement démodé !
De nos jours, les fées n'ont plus
d'ailes, plus de baguette magique, plus
de robe vaporeuse !

Erelle est en colère. C'est quoi cette
fleur qui vient briser ses rêves ? Et
qui, de plus, lui a fait mal.
— Si tu n'es pas plus gentille, je
t'arrache tes pétales un à un, lui
dit-elle commençant à effeuiller la
grosse fleur jaune. Je t'aime, un peu,
beaucoup, pas du tout…
— Aïe ! Mais tu me fais mal ! s'écrie la
fleur en se transformant en une jolie
demoiselle. Si tu continues, je ne vais
plus avoir de cheveux !

Erelle reste bouche bée : cette fée-fleur est une petite fille juste comme elle :

— Tu me ressembles, c'est incroyable !

— Qu'est-ce que je te disais ! Les ailes ne sont plus à la mode ! En fait, tout est dans la tête !

— Dans la tête ? s'étonne Erelle, alors comment as-tu fait pour devenir une fée ?

— Je travaille beaucoup à l'école, et, d'ailleurs, je dois te laisser car je vais être en retard en classe. Le maître n'aime pas ça du tout !

Et, après un dernier salut, la fée disparaît.

Erelle reste sans voix. La fée-fleur s'est évaporée, comme ça, d'un coup. Il n'y a plus ni fleur ni fée, mais il y a bien quatre pétales jaunes au creux de sa robe. « Ce n'était donc pas un rêve, se dit-elle songeuse. Bizarre, une fée qui va à l'école, qui apprend des leçons, une fée sans ailes... On aura tout vu ! » Debout, au sommet de la colline, Erelle reste rêveuse. Elle n'attend plus le vent. Elle ne pense plus à voler, ni à visiter la terre du haut d'un léger nuage. Elle n'entend que ces mots comme une ritournelle :
« tout est dans la tête » !

« Qu'est-ce que cela veut dire, se demande-t-elle… Il faut aller à l'école maintenant pour devenir une fée ? Pfff, je déteste l'école ! » grommelle Erelle entre ses dents, en donnant un coup de pied rageur dans un caillou blanc. Pendant quelques secondes, elle croit l'entendre parler à son tour :

— Cling, bong, bing… Mais non, c'est juste le bruit qu'il fait en rebondissant sur le sentier.

— Eh bien quoi ?! Les fleurs parlent et se transforment en fées, il ne manquerait plus que les cailloux deviennent des lutins farceurs, se justifie Erelle.

À cette idée, elle éclate de rire et retrouve sa bonne humeur.

« Tout est dans la tête » lui a confié la fée-fleur…Et, pour remplir sa tête, cette fée ne trouve rien de mieux que d'aller à l'école…

Et aller à l'école cela signifie : apprendre, écouter, retenir…

Erelle rentre lentement à la maison, en réfléchissant très fort.

Soudain, elle s'arrête et s'écrie :

— Mais, en fait, c'est facile ! Moi aussi, je peux y arriver !

En courant aussi vite que le vent qu'elle attendait tant, Erelle rentre chez elle, monte les escaliers quatre à quatre, saute hors de sa robe ailée, enfile en toute hâte un polo et un pantalon. Elle attrape son sac à dos, et, en moins de temps qu'il n'en faut pour dire « ouf », la voici dehors.

— Où vas-tu donc, Erelle ? s'inquiète maman, qui n'a jamais vu sa fille bouger aussi vite.

— À l'école ! Je vais remplir ma tête de tout ce que je peux apprendre. Je vais être la fée des cahiers, pour devenir la fée de la vie, répond-elle tout heureuse.

Maman n'en croit pas ses oreilles.

Depuis ce jour, Erelle va à l'école de bon cœur et apprend avec application toutes ses leçons !

Bientôt, c'est sûr, elle sera, elle aussi, une fée-fleur, une fée-bonheur !

La fée des couleurs

Jeanne Taboni Misérazzi – Cathy Delanssay

Dès que la fin de l'été approche, la fée des couleurs s'enferme dans sa maison au milieu de la forêt, et sort ses pots de peinture. Elle ne veut pas être dérangée ! Alors, elle accroche un petit panneau à sa porte où elle a écrit :

Je prépare mes couleurs

Les animaux qui s'approchent
de la maison savent que le
grand moment va bientôt
arriver. Ils s'éloignent sur la
pointe des pieds. Ils annoncent
à ceux qui l'ignorent encore
que les couleurs de la forêt vont
changer. Ils le murmurent et,
tout doucement, de bouche à
oreille, la nouvelle fait le tour de
la forêt.

Puis, un grand silence s'installe.

Pendant ce temps, la fée des couleurs se penche sur son chaudron et remue une grosse louche marron.
Elle est très concentrée. Elle sait qu'il faut que bientôt tout soit terminé.

Très vite, elle s'endort pour
quelques heures puis elle
va observer les animaux de
la forêt.

Elle se cache derrière le plus gros
des troncs et, de là, elle les voit
sans être vue ! La première qu'elle
entend est la pie qui crie :
« Les feuilles ont jauni ! »

Aussitôt, la taupe sort de sa galerie,
remonte ses lunettes et dit :
« Je suis éblouie ! »

C'est alors que la famille écureuil arrive juste sur l'arbre
au gros tronc. Les enfants écureuils sautent de branche en
branche et le plus petit déclare :
« Comme les feuilles sont jolies ! »
« Venez ! Venez voir celle-ci ! » croasse le corbeau qui,
comme d'habitude, se croit le plus beau.
« Et celle-là ! » grince le geai qui n'a pas l'air très gai.

Et puis, tout à coup, les enfants arrivent. Il y en a des petits
et des grands. Ils sont contents et chantent la chanson que
la fée des couleurs n'a plus entendue depuis longtemps :
« Pomme rouge, pomme douce, pomme de reinette et
pomme d'api…roule, roule sur la mousse… »
Elle la trouve très jolie cette mélodie mais elle pense
soudain à toutes ces jolies feuilles dont elle vient de
changer les couleurs. Elle sait que leur beauté ne va pas
durer. Elle sait que bientôt le vent va les secouer et qu'elles
vont lentement tomber. Elle espère qu'il n'est pas déjà en
train de les guetter.

Mais non, aujourd'hui, il n'est pas là. L'air est doux,
le soleil brille et tout resplendit.

Un instant, la fée des couleurs écoute encore la vie de la forêt puis elle s'en retourne lentement vers sa demeure.
Elle ne sait pas que, tout là-haut, le hibou ne dort que d'un œil. Il la regarde s'en aller après l'avoir suivie toute la nuit. Puis, il va voir la chouette et ne peut s'empêcher de tout lui raconter. Elle se contente de lui répondre :
« C'est vraiment chouette ! »
Elle ne croit pas vraiment le hibou. Elle pense qu'il est un peu fou. Comment peut-il imaginer que, chaque année, les feuilles deviennent jaunes, rouges et dorées grâce à une fée ?
Pourtant, dans sa maison, la fée pose son balai, rince ses pinceaux dans un peu d'eau, puis s'accorde de nouveau quelques heures de repos avant de préparer d'autres couleurs et de s'en aller ailleurs !

Pendant ce temps, tout là-haut, bien au chaud sur son nuage en forme de soufflet, monsieur le Vent, admire le travail de sa fée préférée.
Cette année, il va prendre un peu de temps, avant de souffler sur les belles feuilles dorées et d'en faire de jolis tapis que les enfants vont faire craquer.
Depuis deux jours, il est très enrhumé. Il a le nez complètement bouché. Il est incapable de souffler car il doit sans cesse se moucher. Alors, il attend et, pendant ce temps, les feuilles se pavanent et se font admirer.

Une semaine plus tard, grâce aux bons soins de madame
le Vent, le rhume de son mari est guéri.
Il est tout content, monsieur le Vent, et, quand il se
décide à gonfler ses bonnes joues, il sait qu'il va tout
emporter d'un coup. Il ne laissera pas une
seule feuille suspendue aux branches de
la forêt. Elles vont voler, planer,
tournoyer puis, finalement, se
poser sur le sol où elles vont
former le plus joli des tapis.

Ça y est, il y va !
Tout de suite, dans sa maison, la fée des
couleurs comprend. Elle n'en veut pas à
monsieur le Vent. Cette année-là, elle trouve
qu'il s'est bien comporté. Il a laissé aux feuilles
le temps de se laisser admirer.
Elle imagine que c'est pour lui faire plaisir
que monsieur le Vent a attendu. Elle se dit
que, demain, elle ira voir le beau tapis que les
feuilles ont formé. Elle sait que les enfants
vont venir faire les fous sur le beau tapis tout
doux.
Mais, en attendant, elle écoute le vent qui
souffle et elle murmure :
« Va, vis ta vie de vent ! Tu ne peux rien faire
d'autre que souffler. Je te donne rendez-vous
dans un an ! »

Arrête, Chatouillette !

Françoise Le Gloahec – Céline Riffard

Hi ! Hi ! Hi ! Arrête, Chatouillette ! dit Aurélien.
Je ne peux plus respirer.
Mais la petite fée adore le taquiner. Encore un coup
de baguette ! Un petit dernier.
Chatouillette n'en fait qu'à sa tête.

Soudain Aurélien s'écrie :
– Plus de guilis ! Maintenant, ça suffit ! D'abord, tu m'embêtes ! Alors range ta baguette.
Chatouillette est étonnée. Depuis longtemps, elle adore taquiner tous les enfants, petits et grands. Et même quelques parents. C'est son jeu préféré.
– Ne te fâche pas, Aurélien. Mais, c'est trop rigolo. Quand tu te tortilles sur le dos, dit Chatouillette. Tu sautes et tu te tords, comme un vrai ressort. On joue encore ?

Et Chatouillette rit plus fort. Cette fois, Aurélien n'est pas d'accord. Chatouillette a vraiment tort de le taquiner et de se moquer. Il est vexé comme un pou et se lève d'un seul coup.

– Je m'en vais ! Reste avec les autres fées de ta classe. Moi, je retourne en face, dans la maison des garçons, pour jouer au ballon. On va faire une équipe et bien s'amuser, sans pouvoirs magiques et sans petite fée mal élevée pour nous ennuyer.

Et la porte a claqué. Très fort. Pour se refermer.
Plus de bruit. Plus d'ami pour Chatouillette.
« Ouh, là là ! Aurélien est fâché ! À cause de moi, jamais il
ne reviendra. Pour redevenir mon meilleur ami. Pour la vie !
Bouououh ! » pleure Chatouillette.

Comme elle regrette ! D'être aussi bête !

« Comment me faire pardonner ? Je ne trouve pas d'idée. »

Chatouillette attend, toute seule, longtemps. Ses ailes bien repliées dans son dos de jeune fée. Plus envie de s'envoler. Plus envie de taquiner. Plus envie de jouer sans Aurélien, son copain. De grosses larmes coulent sur ses joues.

« Peut-être que les fées ne sont pas gentilles. Moins que les autres petites filles ? »

Chatouillette s'inquiète. Elle regarde sa baguette. Et la jette ! Loin ! Puis baisse la tête.
Mais soudain ! Qui caresse sa main ?
C'est Aurélien qui revient !

Le secret de Pirouette

Valérie Videau – Virginie Martins

Depuis qu'elle est toute petite, Pirouette ne cesse de faire des tours. Non, non, pas des tours de cochon, mais des tours de magie ! Et, chaque dimanche, ses parents jouent aux spectateurs pour juger ses talents de jeune fée. Après plusieurs mois d'entraînement, Pirouette n'a donc qu'un souhait : s'inscrire au grand concours pour entrer à l'École des fées !

Mais le jour de l'examen, Pirouette n'en mène pas large…
– J'ai peur de ne pas y arriver, maman ! soupire-t-elle en se tortillant les doigts.
– Ne t'inquiète pas, ma chérie, toutes les petites fées n'ont pas ton talent secret !
– Peut-être qu'elles en ont un aussi… souffle Pirouette. Qui sait…

La jeune fée est perdue dans ses pensées, quand, tout à coup, le directeur de l'École des fées annonce d'une voix forte :
« Mesdemoiselles, présentez-vous devant les membres du jury !
Voyons… Nous allons commencer par ordre alphabétique. J'appelle mademoiselle Amanda ! »
Pirouette est huitième sur dix ; elle a donc tout le temps de s'entraîner encore et de manier sa baguette magique. Et hop, hop, hop ! La jeune fée fait apparaître et disparaître toutes sortes d'objets : des tout doux comme des peluches, ou des tout ronds comme des sucettes… Si les parents de Pirouette sont admiratifs de leur progéniture, deux jeunes concurrentes la regardent d'un air inquiet…

– Tu as vu comment elle fait ? chuchote Scynthia à son amie Vicky. Si jamais elle réussit ces tours tout à l'heure, on perdra à coup sûr ! Et adieu l'école…

– Attends… répond Vicky d'une voix mauvaise. Réfléchissons…

– À quoi ? insiste Scynthia. C'est tout réfléchi, on ne sera jamais admises au concours… Regarde tout ce qu'elle sait faire !

Vicky observe en silence tous les gestes de Pirouette et se demande bien comment la jeune fée parvient à changer les couleurs de certains objets.

– C'est magique, son tour, murmure la fée jalouse. Il faut tout faire pour l'empêcher de le réaliser devant le jury. J'ai une idée, Scynthia ! Pendant que tu lui poses une question, moi, j'échange sa baguette magique avec la nôtre !
Ravies, les deux pestes mettent au point leur stratégie, puis, en un tournemain, Pirouette a une autre baguette...

– J'appelle mademoiselle Pirouette ! annonce un peu plus tard le directeur.

– Surtout, ne va pas trop vite dans tes tours de magie ! lui conseille son papa. Prends le temps… Allez, ma princesse !

Les deux fées jalouses gloussent dans leur coin et attendent avec impatience que Pirouette rate son fameux tour. Sur les conseils de son père, la jeune fée enchaîne les tours de magie sans se presser, et sans faute !

– Maintenant, pour mon dernier tour, annonce-t-elle d'une voix fluette, je vais donner des couleurs à cette balle blanche !

– Hi ! Hi ! Là, elle va être ridicule ! ricanent les
vilaines fées.
Pirouette malaxe la balle quelques instants dans
le creux de ses mains, puis soulève sa baguette
magique.
– Bricada, bricadi ! que cette balle prenne des
couleurs ! lance-t-elle, enjouée.
Et…
– Bravo ! applaudissent les membres du jury.
Magnifique ! Ce tour est incroyable !
Au fond de la salle, Scynthia et Vicky sont vertes de
rage. Elles ne comprennent pas
ce qui a pu se passer.

Elles s'avancent vers Pirouette et font mine de la
féliciter…
– C'est génial, ce tour ! Tu voudras bien nous
l'apprendre ?
La jeune fée s'apprête à répondre, quand le directeur
s'avance vers les mégères, les sourcils froncés :
– Non seulement, mesdemoiselles, vous ne
connaîtrez jamais ce tour fabuleux, mais vous ne
mettrez pas les pieds dans notre école. Ici, nous ne
tolérons pas les tricheuses ! Je vous ai vues échanger
vos baguettes magiques avec celle de Pirouette !

Les deux pestes, rouges jusqu'aux oreilles, quittent au plus vite la salle d'examen, sans connaître la vérité sur la balle blanche ! Pirouette n'avait, de toute façon, pas besoin de baguette magique pour effectuer ce tour, car c'est grâce à la chaleur qui se dégage de ses mains que la jeune fée peut transformer les couleurs de certains objets !

Pirouette est bien sûr admise à l'École des fées, mais, bientôt, elle fera le tour du monde pour montrer son talent secret !

La princesse Mirabelle

Valérie Videau – Jessica Secheret

Tôt, le dimanche, pour ne pas réveiller ses parents chéris, la princesse Mirabelle descend l'escalier de pierre sur la pointe des pieds, jusqu'aux cuisines...

– Aujourd'hui, Jeannette, j'aimerais aller ramasser des feuilles dans la forêt! annonce la princesse. Père m'a donné la permission hier!

Avant que le pauvre homme réagisse, Mirabelle a déjà entraîné Camille sous un énorme marronnier ! Et les deux fillettes papotent et rient si fort qu'elles ne voient pas le temps passer.

– Jolie princesse ! annonce Jeannette. C'est l'heure de rentrer !

De retour au château, Mirabelle raconte la dure vie de Camille et de ses parents.

– Père ! J'ai promis que tu donnerais du travail à son papa et à sa maman !

Le duc réfléchit. Oh, pas longtemps ! Car il a justement besoin de fermiers courageux !... Et il ne peut rien refuser à sa petite princesse adorée...